# pip is raar

## Daniëlle Schothorst

maantjes

Zwijsen

saar en vis pip.

sok aan, saar.
en sok aan, pip.
sok aan, pip?

sok aan, vis.

is pip raar?

is saar raar?

ik vis.
ik vis mis.

mis saar, mis.
saar is sip.

vis maar, saar.
vis pip maar.

## Serie 2 • bij kern 2 van Veilig leren lezen

*Na 4 weken leesonderwijs:*

**1. maan en saar**
Frank Smulders en
Leo Timmers

**2. sem en roos**
Erik van Os &
Elle van Lieshout en
Hugo van Look

**3. sip?**
Maria van Eeden
en Jan Jutte

**4. maan is ver**
Marjolein Krijger

**5. ik mis roos**
Gitte spee

**6. pim en maan**
Anke de Vries en
Camila Fialkowski

**7. pip is raar**
Daniëlle Schothorst

**8. er is vis**
Brigitte Minne en
Ann de Bode

is pip sip?
is pip raar?
pip is raar!

mis vis, mis.
mis, mis, mis ...

pip is raar.
vaar maar, pip.
vis maar!

ik vis, saar!

is saar er?
en is sem er?
is pip raar?

ik mep.

mis vis, mis.
mis pip, mis.

sem en saar.

sem, saar en roos.

is pip er?

pip is raar.
is saar sip?